괄호 열고 괄호 닫고

괄호 열고 괄호 닫고

발 행 | 2023년 2월 16일
저 자 | 이건희
이메일 | firstbase5@naver.com
인스타그램 | @kunriffin_

펴낸이 | 한건희
펴낸곳 | 주식회사 부크크
출판사등록 | 2014.07.15(제2014-16호)
주 소 | 서울특별시 금천구 가산디지털1로 119 SK트윈타워 A동 305호
전 화 | 1670-8316
이메일 | info@bookk.co.kr

ISBN | 979-11-410-1645-6

www.bookk.co.kr

괄호 열고

괄호 닫고

이건희 지음

차례

첫 장을 앞두고..

아마 가을의 어느 밤 즈음, 펜과 종이로 써 내리길 시작한 그날부터의 이야기를 풀어보려 합니다. 괄호 안에 넣어둘 독백이라는 지독한 되새김질을 몇 개의 단어와 몇 줄의 문장으로 담았습니다. 펜을 들었던 이유가 오롯이 나를 위함이었기에, 목적에 어긋나는 성취를 바라지 않습니다. 나의 글에서 따뜻한 위로나, 특별한 감상을 찾지 않았으면 합니다. 일종의 주사(酒邪)와도 같은 글이기에 혀를 끌끌 차고, 손가락질도 해가며 읽었으면 합니다. 글을 쓰는 게 참 어렵습니다. 이런 나에게 영감이 되어준 나의 사람들, 나의 무리들, 나의 공간들에게 감사를 보냅니다.

그리고, 글을 모을 수 있도록 나를 깨워준 박준환 군에게 감사를 표합니다.

유통기한

지나지 않았기를 바라며 꺼낸 마음엔

또렷하게도 적혀있는 그날의 날짜가

상한 마음이어라, 지나간 마음이어라 하고 말하고 있다

난,

탈이 나고, 열병 앓을 걸 알면서도

그 마음에게 미안하기라도 한 걸까
시선을 회피하고 기억에서 지우는 걸
죄스럽다 핑계를 대곤

웃어뵈며 그 요망한 걸 다시 넣어두었다.

비 오는 날

가뜩이나 무거운 걸음에
땅속으로 스미지 못한 빗방울들이 내 발목을 잡는다

겨우 털어내 옮긴 걸음 뒤에는
선명하게 남아있는 발자국들이 나를 쫓는다

내일이면 말라 없어질 이 빗물처럼
내 마음에도 볕이 들어 떠나 줬으면

멀리 있는

안녕, 멀리 있는 너
한때 우리가 흥얼대던 노랫말 한 구절

'그대 떠나는 뒷모습에 내 눈물 떨구어 주리
가는 걸음에 내 눈물 떨구어 주리'

마지막이라고 생각 않고 기다리기에
흘린 눈물에 조금은 감사하겠다

다른 모습과 다른 생각으로 나타난다 한들
기다린 너에게 환하게 웃어주겠다

시차가 다른 이

바삐 움직이는 세상 속에
나태하고 여유로운 나는 느리다

아침에 일어나 30분을 침대에 누워 음악을 듣고
그제야 무거운 몸을 일으켜 물 한잔하고
다시 돌아가 누울까 5분여 시간을 고민하고
아니다 싶어 찬물에 몸을 적시고
얼굴과 몸에 잔뜩 힘을 주고 집을 나서는

바삐 움직이는 세상 속에
나태하고 여유로운 나는 느리다

오랜 시간

시간이 머문 자리엔
부단히 티를 내며 남은 자욱이 있다

꽃잎이 떨어져 만연에 일렁이던 그 계절과
밤이 얕아져 하루가 길던 그 계절,

혼자임에 아쉬워 코웃음 치던 그 계절,
하늘이 일찍이 잠들어 함께일 수 있던 그 계절 또한

온통 네가 남아있어
꽤나 오랜 시간 그 계절들에 살며,

또 다가올 너를 맞기 위해
옷을 껴입고 벗어두기를 반복한다

계절

너의 눈길 한 번에 내 계절은 온통 봄이었다

함박눈이 잔인하리만큼 다정한 바람과 함께
콧잔등 위를 스쳤다 멀어진다

내게 남은 눈자욱을 털지 않고 일어나
아직 온기가 남은 검정 코트 안에 잔잔히 넣어 두었다

나의 그 검정 코트는 단추가 뒤에 달려
너 없이는 벗을 수 없기에

벚꽃이 불어올 그 계절에도
호호 입김을 불며 주머니에 손을 꽂아 넣었다

또다시 그 계절을 기다리며

빈 집

답이 없는 빈집을 서성인다

숫기 없는 아이처럼 기웃거리고

못다 꿰맨 꽃반지가 작아뵈고 부끄러워
서툰 혼잣말만 반복하고

뱉지 못한 그 말들을 곱씹으며 뒤돌아서는
터벅이는 발을 끌며 집에 오고

궁상맞은 머릿속엔 내 바람만

그리고는

울다 웃다 이내 지쳐 잠에 들고

해가 뜨면 난 또다시
대답 없는 빈집을 서성인다

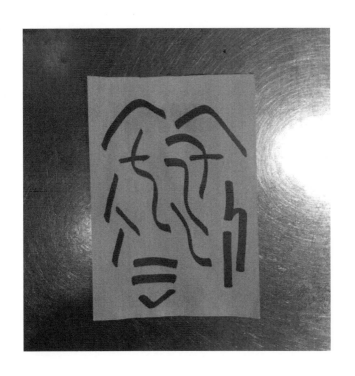

고해성사

들어주길 바랐고
듣고 있을 거라 말했다

이뤄지길 바라는 마음은
믿어짐을 강요했다

할 수 없이 했던 내 기도는
할 수 있는 게 없어 벼랑 끝으로 몰린
내 마지막 기회 같았다

배를 곯는 날 보단,
부른 배를 두드리는 날이 많았으면 하고

인상을 찌푸린 날 보단,
입가에 미소 정도 띄운 채로
잠에 들 수 있는 날이 많았으면 한다

마지막 기회가 되어서야

난 또다시 비참하게 밑바닥을 보인다

'어찌, 이렇게도 이기적이고 부족한가'
'사람은, 나라는 존재는 항상 부족하고 두려워야
보이지 않는 것을 믿는 것인가'

툭 뱉은 질문들이 땅바닥을 찍고 튀어 올라
계속해서 가슴팍에 꽂힌다

'아프다'

하나 둘 수두룩이 박혀 피딱지로 굳고
피딱지는 굳은살이 되고

아픔에 무뎌지면
내 벼랑의 끝도 더 이상 없는 걸까
나도 누군가의 기도를 듣게 될까

괄호 열고 괄호 닫고

젓가락을 집어낸 오른손은 부자연스러웠다
어떤 걸 골라 집어야 할까
한참 동안 식탁 위를 비행하다

'오늘은 이거다'

결핍이 담긴 접시에 시선이 꽂혔다

천천히

천천히

씹어 삼켰다
얼마 지나지 않아 울렁거리는 속은
독백을 토해냈다
다른 접시에 담긴 온갖 독백 거리들이
흘기듯 나를 쳐다본다

여기까지만 해두기로 한다

오늘도 면전에 못 할 말들을
얼마나 삼켜왔던가

몇 번을 연습해 냈다고 생각했는데
아직은 어색하기 짝이 없다

토해낸 독백은 혀 밑에 넣어두고
중얼거리며 담배나 한 갑 사러
집을 나서야겠다

옥상

주마등이란게 이런 건가
떠오르는 많은 날들

아버지한테 더 잘 할걸
엄마는 건강해야 되는데
결국 가족 생각이 나는구나

짧은 영화의 스쳐가는 장면들 속

마지막은,

장바구니 쥐고 계신 901호 아주머니

미안합니다

경기가 종료됨과 동시에

닿을 수 없는 걸 알면서도

뻗어대던 내 손은

손가락 마디마디를 스치며 지나가는

실낱같은 나의 바람을

더 세게 잡아보려 힘을 주었고

비로소 나의 주먹에 피가 흘러야 힘을 풀었다

손바닥에 남은 건

뽑혀버린 손톱과 새롭게 새겨진 손금뿐..

잡아내지 못했으니 놓쳤다는 말도 애식한

비었다고 하기엔 상처로 채워낸

내 손바닥을

멀뚱하게 바라보았다

먼 훗날

생각이 나겠지
망설였고 주춤대던 그 날의 순간들을

나에겐 사랑한다 그 거짓말 같은
한 마디가 당신의 유언처럼 남을 것 같아

생각을 하겠지
보고 싶어 마음 앓던 그 밤의 눈물을

당신께 하지 못한 그 마음가짐은
이제는 철부지 어린애가 아니라 말할 것만 같아

머쓱 대며 할 수 있던 말을 삼켰던
그 날의 나와 함께 떠오르는 후회의 순간들이

이제 보니 부질없는 욕심이더라
생각이 드는 하루 끝에

고비

더도 말고 덜도 말고

딱 3개월만,

딱 3개월만 죽어있고 싶다

노력해야 살고
그 노력은 꽤나 직관적이라
조금만 참고, 버텨도 이겨내지 못할
나약한 내가 흔들릴 몇백 개의 초침이 지나가는 것뿐
강요받는 노력이 밉고, 싫고, 권태롭다

그냥 딱 3개월만 죽었으면 한다

딱 3개월만

청춘

어릴 적 달달한 사탕을 약속받으며 먹었던
쓰디쓴 약이 생각난다

목에 '턱' 하고 걸릴 것 같아
몇 번을 토해내는 척 뱉어댔던

내게 남은 청춘이라 함은

그 약속의 순간,
그 뱉어냄의 순간,

그 순간들을 잘 구겨 넣은 채 살았던
몇 해 안 되는 시간들

지났을까, 아직일까 고민하지 않으려 한다

내게 청춘은 그 순간들의 순간이기에

찾다

빽빽이 적고 지우기를 반복하던
어릴 적 전화번호 공책

가나다 순으로 정렬해야
마음이 편해 잠에 들던
어릴 적 전화번호 공책

오늘 난 그 숫자들을 찾아
먼지 덮인 몇 개의 추억을 꺼내

연필 내음 풀풀 나는
네 번호를 혼자 읊조리다 읊조리다

그냥 친구였길
그냥 계속 옆에 있길

피식이며 후회하는 그 마음을

창문 밖에서 불어온 바람 타고 날아간 먼지에

보내버린 시간을 태워
함께 읽어내리는

어릴 적 전화번호 공책

익사

익사하는 꿈을 꾸었다

물에 빠져 눈을 감았고,
허우적거리다 이내 깊은 밑으로 빠져갈 때에
나에게 아가미를 달아준 건 너였다

호흡이 뭔지,

나의 아가미에 물이 들어갔다 빠지며
숨이 턱 트이는 것이 뭔지,
알려준 것도 전부 너였다

숨이 편안해지고 익숙해질 때 즈음

나에게서 너를 앗아간 그 시간은
되려 숨 쉬지 말라 숨통을 틀어막아 꼴사나웠다

숨이 막혀 가라앉는 순간 왔던 네가 어찌 당연했던가

뭍으로 기어 나와 숨을 고르던 나는 죽은 것과
다름없었다.

다시 물속으로 한 발씩 들어가며
나는 너를 계속해 사랑했다

그저, 내 한 줌의 꿈을 내뱉은 숨을 또 참아보려
한 발, 한 발 물속으로

기다림에 관하여

감히 비가 오길 바랬다

비가 오면 너는 내 곁으로 와 비를 피했으니까
아주 커다란 처마로 잠깐이나마 널 안아줄 수
있으니까

감히 비가 멎길 바랬다

축축이 젖은 땅을
네 신발이 더러워질까 번쩍 업고 대신 걷던
그 시간이 나에겐 행복이었으니까

이젠 비를 맞는 게 내가 되어버려
뭘 하지도, 어딜 가지도 못 한다

아직 나는 우산도, 처마도, 대신 걸어줄 누군가도
없기에

무겁게 젖어가는 내 옷가지와
지저분한 신발을 끌며

감히 바라고 또 바랬다

해가 떠 굳어진 땅을 저벅이며
멀찍이서 네가 걸어오기를

십 이월

십 이월의 냄새를 기억한다

유난히 춥고 외롭고 쓸쓸했던 그 냄새를

두 볼이 빨갛게 얼어 버린 이 계절에
반짝이는 것들 사이사이 둘러싸인 이들을 보며

괜스레 손 끝을 뜯기도,
하늘을 올려다 보기도

나는 그저 십 이월이 조금은 외롭다

지나갈 헌 시간과 다가올 새 시간이 머무는

그 마지막의 마지막 날이 풍기는 냄새를 회상하며

또 꿋꿋이 열한 개의 달력을 넘기려 한다

치부 절제술

가시 돋은 내 가슴에는
조각난 살점들이 붙어있어
역겨운 냄새가 그득하다

참기 힘든 고통과 냄새에
나는 손을 집어넣어

조심히 조심히 떼어 내곤
언제 또 달라붙을까 겁이나
그 조각들을 헝겊으로 고이 접어
뒤꿈치 어딘가에 넉넉히 넣어 두었다

손을 씻고 코를 풀고 머릴 털며
거울을 보곤 방긋 웃어보려 고개를 들었을 때
같은 조각의 살점과 핏덩이들이 여전했다

그래 이 견딜 수 없는 내 모습은
이내 지울 수 없는 내 모습

마저 웃고 방으로 들어가
턱밑까지 이불을 끌어 올리고는

흐르는 뜨거운 줄기를
막아가며 깊은 잠을 위해 눈을 감고
스위치를 내린다

못하는 일

알람이 울리기도 전에 일어나
간밤의 흔적들을 순서대로 씻어내고

걸어둔 코트와 목도리를 넉넉히 두르고
늘 같은 방향의 버스에 올라 도착한 곳에서

햇살의 첫인사와 끝인사를 모두 받고서는
바삐 돌아와 하루를 또 씻어내고

잠들지도 못할 침대에 누워서는
건조해진 입술로 전하지 못할 말을 뱉는다

다 할 수 있을 거라 생각했지만
한 가지는 할 수 없었다

딱 하나

널 잊지 못하는 일

석양

나의 해가 저물어간다

따갑다며 피해만 댔던
나의 해는 저물어 가는 중이다

왜 진작 알지 못했을까

이 햇살은 그토록 기다린
나의 오랜 밤의 바램임을

안녕, 안녕

천천히 숨을 뱉고 영혼이 빠져나감을 느낀다

비로소 내 마지막의 마지막을 뱉어냈을 때에

나는 이제 이 세상에 있기도, 없기도 하다

아무것도 아니게 되어버렸다

그래서 아무것도 하지 않으려 한다

정답

나는 너를 이제야 암기한다

너의 수식은 내게는 어린아이의 방정식만 같았다

너의 해설과 풀이는 나에게 벅차고
헤매길 반복하는 오답의 연속이었을 뿐이었다

그래서, 나는 이제 너를 암기하려 한다

나의 답을 고쳐 쓰고는
꽉 쥔 답안지를 흔들며 찾아갈 그날까지

수업

가지런히 앉아
종이 치길 기다렸다

교탁에 시선을 고정한 채
종이 치길 기다렸다

기다리고, 기다리다 어느덧 종은 울렸고

그렇게 수업은 끝이 났다

차마 나설 수 없는 교실은

깨끗한 나의 공책 위에
툭툭 눈물방울 소리로

문득문득 가득했다

인사를 건네다

보고 싶었어요

때늦은 인사에도

싱긋

입가에 미소를 가득 머금고
나를 한참이나 바라본다

겨울의 어느 날에 너를 만나 사랑에 빠지고
나는 또 몇 개의 계절을 보냈을까

내게 남은 계절은
꼿깃하게 접어둘

보고 싶다는 정도의 인사

택시

차창 밖으로 해가 지고 있어

울렁이며 안녕을 고하는 오늘의 해가

나는 왜인지 슬쩍 웃음 지어

오후 2시 같았던 때가 떠올라서 그런가 봐

잔잔하게 하루의 마지막을 묻던 너에게

수화기 너머로는 전하지 못할 것 같아

도착지를 돌려 너에게 가는 중이야

세상

너는 꽤나 찬란한 사람이다

볕 들지 않는 내 세상에
한 줄기 빛으로 찾아온 그 날

침을 꼴딱거리며 설레던
그 날의 나를 나는 안다

너는 계속해서 찬란하라

이젠 조금 멀리서 흐릿한 불빛으로

어쩌면

처음, 그 설레임의 기억 정도로
널 남겨둘지 모르지만

너는 계속해서 찬란하라

아직 나는 눈이 부시기에 버틸만하니

아무 말 없이

펜을 들었다

손을 움직이지 못한 채

까슬한 종이만 쳐다보다

한숨만 푹

열어두었던 노트를 덮고는

고개를 푹

의자를 끌며 일어나

손에 담배와 라이터를 쥐고

밖으로 나갔다

Dear my Anderson

한참을 가만히 응시하던 그곳에서 나는 또 당신을
보았습니다.

당신의 잔상이 남아있어 그 자리를 또 멍하니
바라보다 애써 정신을 차리고는 걸음을 옮겼어요.

문득 우리가 배경 삼았던 몇 개의 계절들을
떠올렸어요. 나는 그 안에 우리가 아직 선명한데,
당신에게는 이제 흐릿함에 가까운가요.

나는 아직 색이 바래지 않아 당신을 잊지 못하는지도
모르겠네요. 손 끝만 닿아도 서로를 바라보기 바빴던
우리는 지금 어디쯤일까요.

알 수 없는 이곳에 멈춰 서서 쌓아가던 마음을
내려놓아요.

나를 한참이나 적셨던 한여름의 폭우 같던 당신은

이제 볕 드는 하늘로써 나를 떠나요. 나는 당신께
겨울밤의 눈처럼 남을 테니 저벅이며 밟고 나아가세요.

당신이 행복하길 진심으로 바라요.

가끔 그리워할 테니 이 자리에 놓아둔 마음들이
그리울 때면 들려주세요.

언젠가는 흐릿하게 남을 당신, 마지막으로 아주 천천히
바라보다 시선을 거둘게요.

보고 싶을 거예요. 아주 많이.

이맘때 즈음

창문을 열고 선풍기를 틀어본다

낮고 작은 소리로 돌아가는 날개에서
바람이 새어 나온다

창문을 훌쩍 타고 넘어온
여름 냄새가 코 끝을 간지럽힌다

여름 끝자락에 가을이 보인다

싫어하는 것들 중 싫어하는 게 여름인데

난 오늘 밤 여름을 붙들고 싶다

마치 예의 바른 주정뱅이가 되고 싶달까

성냥갑을 털어내 꺼내 향을 태운다

눅진해진 여름 냄새는 방 안에 그득하다

장애물

'장애물이라고 해야 하나'

머릿속 말이 입 밖으로 나올뻔했다

이내 삼킨 한 마디 문장은 소화되지 못 한 채

명치 근처를, 무릎 뒤쪽을,
아킬레스건 사이사이를 타고 흘렀다

부끄러워 녹아내릴 것 만 같아 황급히 고개를 숙였다

나는 또 마음에 빚을 저버린 걸까

내일은 이놈의 눈알 시신경이 부디 무뎌지길

켜켜이 쌓여버린 발바닥 어딘가에
무거운 짐이 떨어질까

전속력으로 뛰어간다

첫 문장

작아 뵈는 나 자신을 발견하는 순간마다

건넨 말들이 있었다

이제는 입술 안 쪽 어딘가에 맴돌게 되어버려

순간순간 헛구역질을 일삼는다

'퍽이나 고민이련다'

관자놀이 근처를 스치는 문장에 힘입어 펜을 들었다

줄 그어진 노트 위에 꾹꾹 적어낸 글자가 번져간다

수고했어

표정을 도둑맞은 어린아이의 얼굴을 본 적이 있다

세상에 나온 지 기껏해야 다섯 해는 되었을까

부쩍 걸음이 무거워 보이던 모습은 무엇 때문인지

민머리가 부끄러워서일까 작은 손아귀로
모자를 잡아채며 뛰어가는 모습이 시큰하다

부지런히 전하고 싶은 말이 있다

그저 수고했다

근황

약간의 권태로움과 대치 중인 일요일 오후,

왜인지 모르겠지만

매일 보는 하늘이 어색하고
마주하는 사람들이 두렵다

이런 마음들을 제쳐두고 나선 집 밖은
많이 위태로울 뿐이다

두 발짝은 내딛었을까

발길을 돌려 방으로 돌아와
침대에 걸터앉고는

한참을 울었다

그 남자

그 남자는 오늘도 대문을 열 발자국 앞두고 큰 숨을
내쉰다

오늘은 어제보다 힘들었기에
양손만큼은 두둑이 집에 오고 싶었건만

지갑엔 꼬깃하게 접어둔 2 달러 지폐 한 장이
겨우였다

현관 도어락 비밀번호를 누르고
당장이라도 뽑아버릴 듯 문을 열자

쏟아지며 나오는 아이들

무릎을 굽혀 껴안고는 시큰해진 콧잔등을 보이지
않으려 더 세게 안았다

몇 해의 긴 시간 동안

홀로 빨개진 코를 문질렀을

그 남자가 보고 싶다

볼펜

지우개를 열심히 문대 보았지만 소용없었다

너라는 페이지에 빼곡하게 적어낸
글자를 잊고 싶었을 뿐인데

이제는 넘겨야 할 종잇장에 불과하다는 걸 알지만

흠칫하는 손을 보니 아직 너를 잊지 못했나 보다

시간 지나 힘겹게 넘긴 다음 페이지에는

얼마나 눌러 썼을까 자욱이 고스란히 남아있었다

펜촉을 갖다 대고 자욱을 따라 적어내려 한다

지난 페이지의 이야기를

버스를 타고

내리던 정류장이 달라졌다
시간도, 복장도 함께

항상 마주쳤던 옆자리 고등학생 둘과
희끗한 머리의 한라건설 유니폼을 입은 아저씨,
급히 버스에 올라 뒤적이며 가방을 확인하는 젊은
여자

이제 내가 탄 버스에는
빈 좌석들이 더 많이 보일 뿐이다

선택이라 생각했는데
선고받은 자유는 되려 내 발목과 손목을 묶어버려
어딜 가지도 어디에 있지도 못한다

내리려면 벨을 눌러야 하는데

더 멀리 가려면 카드를 찍어야 하는데

저 쪽 뒷자리에 앉아

타고 내리는 이들을 바라보며

내리지도 못하고 멀뚱하게 앉아 아무 말이 없다

읽다

주절거리며 적은 것들을 읽느라 고생이야 다른 건 다
잊어도 앞으로 할 말들은 기억해 줘

당신에게 있어 나는 무엇이었는가

나에게 당신은 못 다 비운 소주잔 같다

내가 울음으로 기억된다면 눈물은 여기에 두고 가라
웃음으로 기억된다면 사진 속 나와 함께 웃어줘라

그저 더 이상 소박한 안주에
소주 한 잔 하지 못함이 아쉬울 뿐이다

마지막이라 생각않고 먼저 가 기다리며
한 잔, 두 잔 털어 넣고 있을 테니 천천히 오도록

　　　故 이건희의 유서 마지막 페이지를 읽으며

만취 후 귀갓길 블루스

내 갈길을 덮고 있는 낙엽을 보면
부쩍 온 가을이 아련하다

이 계절의 청명함에
부쩍이나 우울해지지만

동시 할 수 없는 감정은
이미 겨울을 맞이하는 듯하다

'쪼르..륵'

모름 새 따라버린 소주잔에 잠기는 건

가을일까

겨울일까

워털루역 그 어귀

열차에서 내려 그대에게 향했다

이제 출발한 열차 칸에 두고 내린
한가득 담아 떠나려 했던 나의 마음은

그렇게 경적소리와 함께 멀어졌다

그대를 그리며 버틸 수 없음을 알았기에
함께이고 싶은 마음을 속일 수 없었다

보내버린 열차를 후회하지 않으려
내 생에 가장 힘찬 걸음으로 그대에게 향했다

베이지 코트의 뒷모습을 단박에 알아챈 나는
그대를 와락 안고 꽤 긴 시간을 멈췄다

몇 개의 바람을 스치듯 보냈을까

그대는 내 눈에 눈을 맞췄고

그렇게 싱거웠던 나의 삶에
가장 따뜻한 동풍을 느꼈다

초

빛을 잃은 초는 이제 향을 입었다

몇 개의 밤을 밝혀만 주던 그였지만

며칠 간의 향을 입히곤 그대로 녹아버릴 뿐이다

그렇게 녹아내려 광대뼈 위를 타고 흘렀다

오해하다

오늘도 사람 하나를 삼켰다

제까짓 게 뭐라고 속에 들어와서는

소리를 지르고

팔다리를 꼼지락거리며

다른 놈들에게 손짓해
나의 먹잇감으로 삼기도 한다

자, 이렇게 배도 불렸으니 움직여 볼까

'부릉'

하는 소리와 함께 시동이 걸리며

멈춰있던 네 바퀴가 움직인다

잠꼬대

두꺼운 커튼에 가려 빛줄기 하나 새어 들어오지
않았다

햇살이 보고파 걷어낸 창문 밖으로는

너무 늦은 하루가 안녕을 고한다

'저녁 먹을 시간이야, 일어나'

어깨를 가볍게 두드려 너를 깨운다

반쯤 감긴 눈을 몸을 웅크리며

'5분만 더'

그 모습을 한참 바라보다 잠에 드는 나

얼마 지나지 않아

땡그란 눈을 반짝이며 잠을 깨우는 너

퍽 행복하다

산타클로스

빨갛고

햐얗고

이놈의 색깔들로 잔뜩 덮여버린 십 이월에

동계 최고의 인사

그가 찾아오기까지 하루 남짓 남아있다

푸석거리는 발걸음으로 나섰던 얼어버린 거리에는

뭐가 그리 좋고 신나기에

거리마다 보이는 어린 아이들이

조막만 한 발바닥으로 방방 뛰어다닌다

피식피식 새어 나오는 코웃음을 연속하며

발길을 돌려 도착한 집

햇살이 가장 잘 들어오는 창문에
양말 하나를 걸어두었다